孩子們的瑜伽心生活運動

台灣兒童瑜伽老師 Phoebe Chang（張以昕）

在兒童瑜伽課堂上，帶領孩子們結束身體的練習後，我們總會圍成一圈，燃起一盞燈，靜坐片刻。這是整堂課中最讓我享受的時刻。經過一個鐘頭的肢體伸展後，孩子們能夠很自然地回到靜止的狀態。哪怕是年紀很小的幼兒，尚不知靜心為何物，仍能跟著大家盤起腿，閉上眼睛，感受呼吸和靜悄悄的心。

我深信，瑜伽與靜心帶來愉悅的內在經驗，將在幼小的心靈中留下美好的印記，日後在生命旅途中偶感窒礙難行時，不至於不知所措，能夠隨時拾起這把開啟平靜的鑰匙，順利歸返心家。

台灣瑜伽的發展自一九七〇年以來，已有四十餘年歷史，然而兒童瑜伽的推廣卻比成人瑜伽遲了許多。這有一部分肇因於大眾對於瑜伽的刻板印象，所衍伸的諸多疑問：「小孩本來就很柔軟了，為什麼還要拉筋？」「瑜伽是大人的運動，孩子根本靜不下，該如何做瑜伽？」

其實瑜伽並不是體操，也不只有體位法。讓孩子練習瑜伽不只能獲得身體方面的好處，諸如增強免疫力、改善體態與不良姿勢、均衡骨骼肌肉的發展等等，還能培養自我控制的能力、增強專注力，釋放成長過程中的種種壓力，擁有一顆擅於覺察、自省且容易靜下來的心。

因此，引導孩童練習瑜伽必須兼顧身心靈三個層面，除了眾所周知的「調身」（Asana）之外，還有「調息」（Pranayama）與「調心」（Meditation），共同幫助個體達成內外在的穩定和諧。

在《孩子，我們一起靜心瑜伽吧》一書中，作者瑪莉安・蓋茲遵循傳統哈達

Phoebe 老師經歷：
❋美國瑜伽聯盟 Yoga Alliance RYT200 認證瑜伽老師
❋Yoga Zoo 兒童瑜伽動物園 90 小時師資訓練結業
❋2013 年起數度赴印度進行瑜伽能量呼吸法、靜坐與瑜伽研修
❋曾與國立台北教育大學推廣教育中心、台北市私立中山國民小學、
桃園創新技術學院、長靴貓親子共學園、樂適能 joyfit 運動教室、
台灣喜馬拉雅瑜伽靜心協會（AHYMSIN Taiwan）、參諦瑜伽 Shanti
Yoga 等知名機構與學校單位合作開設親子與兒童瑜伽課程

瑜伽的練習原則，首先引導孩子利用太陽呼吸法（Sun Breath）進行「調息」，找到呼吸的覺知，讓心情沉澱下來。接著在「調身」的體位法動作中延展肢體，並延續對呼吸的關照，讓孩子回到專注又放鬆的狀態。

在孩子的體位法練習中，所有的動作名稱皆有擬人化的趣味稱呼，並結合大自然的動植物，例如小鳥式、瓢蟲式、火山式、滑雪式等等，能夠激發孩童的想像力與創造力，在愉悅的氛圍中培養對練習的興趣。

結束動態的伸展後，進入「調心」的主題。作者最後分別安排了「我想如何感受今天」、「搭乘雲朵入夢鄉」兩種不同型態的靜心練習。藉由「蓮花式」與「大休息式」來鬆弛身心，並輔以孩子的語言作一情境式的觀想引導，讓孩子體驗冥想所帶來的深層靜定及滿滿喜悅。

在家帶領孩子做瑜伽時，孩子未必能完全遵照父母的指令，常讓爸媽感到挫折。此時大人可以暫時拋下指導者的身分，先把注意力放在自己身上，當我們能夠專注於練習時，孩子自然也會覺得好玩，慢慢開始模仿我們的動作。或者帶著幼兒共讀後，讓孩子自行選擇喜歡的動作邊做邊玩；年紀較大的孩子則可自行閱讀後，與爸媽、手足或好友一起練習，皆能充分享受瑜伽的樂趣。

願本書能讓大、小朋友在早晨與睡前時刻，藉由瑜伽練習連結身體和呼吸，讓身心重獲安穩，並能更進一步的在靜心中與愛及平靜連結，最後帶著滿足的笑容迎接嶄新的一天，或是放鬆愉快地進入夢鄉。親子攜手啟動瑜伽心生活運動，就從今天開始！

孩子，我們一起靜心瑜伽吧：
晚安篇

Good Night Yoga:
A Pose-by-Pose Bedtime Story

瑪莉安・蓋茲 Mariam Gates／著

莎拉・珍・杭德 Sarah Jane Hinder／繪

胡君梅／譯　張以昕／審訂

獻給羅爾夫（Rolf）、賈絲敏（Jasmine）與迪倫（Dylan）。
——瑪莉安

獻給我的先生與摯友麥克（Mike），感謝你的愛與支持，
還有當我工作時你特別沖泡的熱巧克力。
獻給我最棒的兒子丹（Dan），以及我的小小啟發者：
賈許（Josh）、瑪格（Meg）、凱蒂（Katie）、
布萊迪（Bridie）、伊莎貝爾（Isabel）、依娃（Ava）、
艾黎（Ellie）和威廉（William）。
——莎拉

太陽漸漸下山了。

吸氣時，張開手臂，
朝向廣闊的天空。
吐氣時，放下手臂，就像下山的太陽。

吸氣時，彎曲膝蓋，
伸出手臂碰觸身旁的雲朵。
吐氣時，站直身體，
放鬆手臂讓雲朵自由飄移。

黃昏的雲朵飄浮在空中。

閃爍的星星點綴著夜空。

慢慢吸氣，再慢慢吐氣，
大大地張開手臂成一直線，
像是可以觸摸到星星一樣。

月兒彎彎高掛在天空。

吸氣時，雙手向上，指尖朝向天空，
把背伸得又直又長。
吐氣時，把身體彎向右邊
（或左邊），
像上弦月一樣彎。

小鳥也要回家去了。

慢慢吸氣，再慢慢吐氣，
張開手臂，往前彎腰，
向後抬起一條腿，看著前方，
視線集中在
一個點上，
我要飛起來囉！

慢慢吸氣，再慢慢吐氣，
肩膀放鬆，雙手合掌，
彎起一隻腳，把心敞開，
像是一棵站得穩穩的大樹。

小鳥回到了樹上的家。

慢慢吸氣，再慢慢吐氣，
雙手合掌，往下深蹲，
好像蹲在葉子上的瓢蟲一樣。

瓢蟲輕輕蹲在葉子上。

慢慢吸氣，再慢慢吐氣，
我把腳ㄚ子併攏在一起，
膝蓋往兩邊放下來，
雙腿像蝴蝶的翅膀一樣。

蝴蝶準備要休息了。

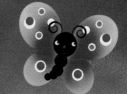

吸氣時，我跪坐得直挺挺的，
雙手放在背後，好像蜜蜂的翅膀；
吐氣時，我向前彎腰，
輕輕把額頭放在地板（或床舖）上。

蜜蜂也準備要睡覺了。

住在月亮上的藍色小貓，
也要睡了喔。

慢慢吸氣，再慢慢吐氣，
我拱起背，跟藍色小貓一起準備入睡。

繼續慢慢吸氣，再慢慢吐氣，
我把屁股輕輕坐到腳跟上，
把背放鬆，手臂放在身體的兩邊，
安靜下來，像地球一樣靜悄悄的。

最後，輕輕地對世界說：
「晚安，祝你好夢！」

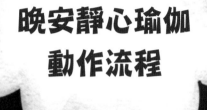

晚安靜心瑜伽
動作流程

太陽呼吸法

吸氣時，
雙手高舉過頭
吐氣時，
雙手放回身體兩側

雲朵式

吸氣時，彎曲膝蓋，
張開雙臂
吐氣時，膝蓋伸直，
放下手臂

大樹式

身體站直
讓腳丫子在腳踝或膝蓋上休息
再換邊做做看！

瓢蟲式

彎曲膝蓋
挺起胸膛
雙手合十

蝴蝶式

坐在地上
腳丫相貼
挺起胸膛

星星式

雙腳穩穩地踩在地上
盡情伸展兩條手臂

月亮式

吸氣時，把背打直
吐氣時，彎曲身軀
兩邊都要做喔！

小鳥式

視線專注在一個點上
抬起一條腿並維持平衡
記得換腳喔！

蜜蜂式

吸氣時，跪地坐直，
雙手在背後交握
吐氣時，腰部向下對折，
直到額頭碰地

貓咪式

吸氣時，脊椎下沉，抬頭向上
吐氣時，脊椎上提，收縮下巴

嬰兒式

在自己的腿上
安穩地歇息

冥想操：
乘著雲朵入夢鄉

安穩地躺著，雙手放在身體兩側，
深深地吸一口氣……然後慢慢吐氣……
想像你躺在雪白蓬鬆的雲朵兒裡。

感覺身體越來越放鬆，直到下沉到柔軟的雲裡，
接著，雲朵慢慢地、輕柔地把你抬起。

你飄浮在空中，好舒服地搖來搖去，
雲朵帶你來到最想去的地方。

在那奇妙的世界裡有美麗的色彩、悅耳的聲音，

那兒真是個好棒的地方！

繼續慢慢地吸氣……吐氣……

當你準備好時，
雲朵載著你慢慢下降、下降、下降……

直到輕輕地降落在地球上，
當雲朵離開時，也帶走了你所有的煩惱。
在你的心裡留下寧靜、安詳、喜悅。

再深深地吸一口氣……然後慢慢吐氣……

晚安，祝你好夢！

動作示範圖解

太陽呼吸法

吸氣時，雙手高舉過頭
吐氣時，雙手放回身體兩側

功能
伸展肩臂，同時透過手部的擺動，
找回對呼吸的覺知。

給父母的小叮嚀
讓孩子在動作時保持手臂的放鬆，
並配合呼吸，逐漸放慢速度，讓心
情沉澱下來。

動作流程

① 立正站好，
手在身側

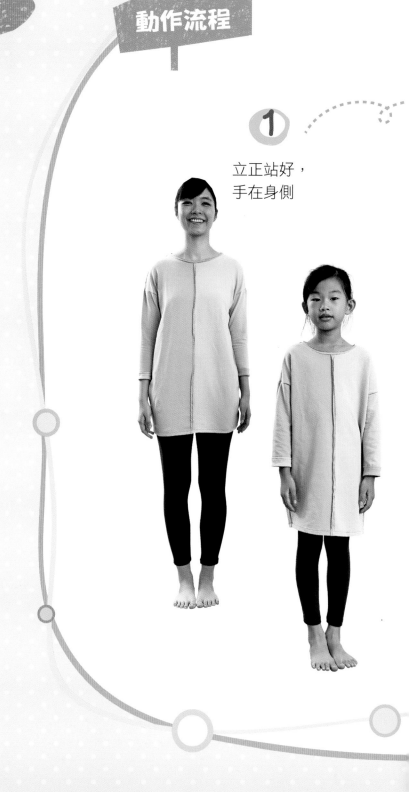

② 吸氣時，雙手高舉過頭

③

吐氣時，回到身體兩側，重覆數個回合

雲朵式

吸氣時，彎曲膝蓋，張開雙臂
吐氣時，膝蓋伸直，放下手臂

動作流程

① 雙腳打開，找到穩定的重心

功能

強化大腿力量，伸展手臂及肩背肌肉，增進肢體協調與專注力。

給父母的小叮嚀

引導孩子配合呼吸，讓手部及腿部同步運動，感受規律穩定的節奏。

2 吸氣時，曲膝深蹲，
彎曲手肘，向上舉起

3

吐氣時，伸直雙腿，
雙手放下休息

星星式

**雙腳穩穩地踩在地上
盡情伸展兩條手臂**

功能

伸展胸口及手臂，感受呼吸帶給身體更深層的延展。

給父母的小叮嚀

記得肩膀要保持放鬆，每次吸氣都感覺雙手向左右兩側又延伸了一些。休息時手臂垂放身側，停留片刻，感受一下伸展帶給身體的舒適。

① 雙腳打開比臀部稍寬

2 雙手平舉與肩同高，掌心
朝下，持續讓手臂向兩側
延伸，停留數個呼吸

月亮式

吸氣時，把背打直
吐氣時，彎曲身軀
兩邊都要做喔！

功能

延展手臂、肩膀及身體側邊的肌肉，並透過舉手的動作，療癒肩頸痠痛。

給父母的小叮嚀

記得停留的時候，雙手仍要不斷保持向上延展的感覺，拉長身側，讓側彎更到位喔！

動作流程

1 雙腳併攏，手在身側

2 吸氣時，雙手在頭頂上方合掌，向上延展

3 吐氣時，帶著適才延伸的力量，慢慢向左側彎，停留數個呼吸後，換邊練習

小鳥式

視線專注在一個點上
抬起一條腿並維持平衡
記得換腳喔！

功能
強化腿部肌肉，延展手臂，增進平
衡感和協調性。

給父母的小叮嚀
剛開始可以牽著孩子的手做練習，
腿也不用抬得太高，讓孩子更有信
心完成動作喔！

動作流程

1 併攏雙腳後膝蓋
微彎，雙手插腰

②

右腳尖點地

③

慢慢將右腿向後舉
起，雙手向兩側延
伸，視線專注在前
方的一個點上

大樹式

身體站直
讓腳丫子在腳踝或膝蓋上休息
再換邊做做看！

①

站穩後雙手
插腰

功能

增強核心肌群及腿部力量，建立耐
心及自信心，強化免疫力和腦部均
衡發展。

給父母的小叮嚀

讓活潑好動的孩子練習樹式，能夠
讓心情沉靜，有助睡眠喔！

2

3

視線保持專注，雙
手合掌在胸前，穩
定地呼吸

慢慢將重心交給左腳，
將右腳放在左腳踝或膝
蓋上

瓢蟲式

彎曲膝蓋，挺起胸膛
雙手合十

功能

放鬆肩頸，伸展腿後側肌肉，放鬆
骨盆，開展髖部。

給父母的小叮嚀

大朋友若無法深蹲，可將腳跟墊
高，便能輕鬆停留囉！

動作流程

①

雙腳打開比
臀部稍寬

2 在深蹲的姿勢中穩定雙腳，把背打直，肩膀放鬆，雙手合十在胸前，保持視線的專注

蝴蝶式

動作流程

坐在地上，腳丫相貼
挺起胸膛

功能

開展髖部，促進骨盆血液循環，改善腸胃不適，同時平靜思緒，紓解內在的壓力。

給父母的小叮嚀

記得挺起胸膛，當一隻勇敢起飛的小蝴蝶喔！

坐在地上．把背打直；
腳掌相貼，將雙手握住
雙腳，保持穩定呼吸

蜜蜂式

吸氣時，跪地坐直，
雙手在背後交握
吐氣時，腰部向下對折，
直到額頭碰地

功能

放鬆肩頸及腰背，同時在伸展胸口
的過程中，感受呼吸的深長穩定。

給父母的小叮嚀

當額頭碰地後，仍要保持胸口的敞
開，隨時關注呼吸的流動喔！

動作流程

①

吸氣時，雙膝跪地，雙
手在背後，把胸口打開

②

吐氣時，腰部向下對折，
讓額頭回到地板上

貓咪式

吸氣時，脊椎下沉，抬頭向上
吐氣時，脊椎上提，收縮下巴

雙膝跪地，雙腳及膝蓋打
開與臀同寬；雙手貼在地
板上，打開與肩同寬

功能

增加脊椎的靈活度，伸展骨盆肌
群，緩解肩頸及腰痠背痛，強化免
疫系統的功能，改善駝背和脊椎側
彎，活化與增進消化系統及內臟的
機能。

給父母的小叮嚀

記得在吸氣時，要依照尾椎、腰
椎、胸椎、頸椎的順序，慢慢達成
脊椎下沉的姿勢，而在吐氣時，也
是按照同樣的方式完成脊椎上提的
動作喔！

②

吸氣時，翹高臀部，
挺起胸來，看著前方

③

吐氣時，慢慢拱背，
低頭看肚臍

嬰兒式

在自己的腿上安穩地歇息

動作流程

1

功能

伸展並放鬆腰背肌肉,感受呼吸的
流動,讓大腦安靜下來。

給父母的小叮嚀

嬰兒式模仿寶貝在媽媽肚子裡的姿
勢。爸媽可以在孩子練習的時候,
慢慢熄燈,輕輕按摩他們的背部,
讓孩子感受彷彿重回子宮裡的安全
感喔!

膝蓋與腳背貼地,
慢慢彎腰對折,讓
額頭回到地板上

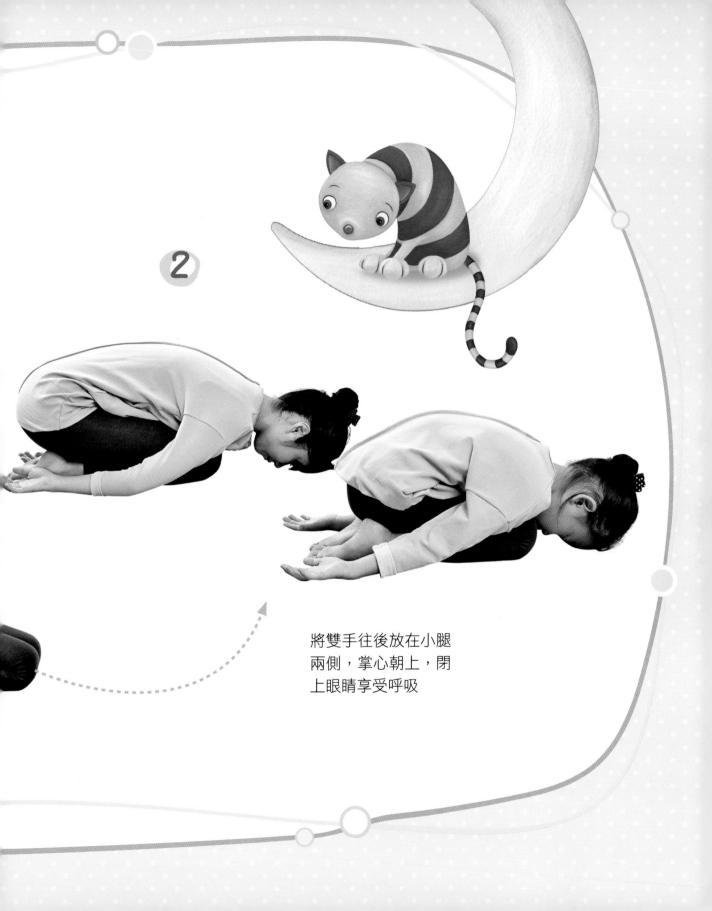

2

將雙手往後放在小腿
兩側，掌心朝上，閉
上眼睛享受呼吸

大休息式

功能

將注意力從外在世界慢慢收攝回到
呼吸，關照內在，完全放鬆身心，
鎮定情緒，改善睡眠障礙。

給父母的小叮嚀

躺臥時可在頭部下方墊個枕頭或毛
巾，並蓋上毯子保暖，或讓孩子直
接躺在床上練習，結束後直接入夢
鄉喔！

平躺在地，掌心朝上，讓手腳充分開展，全身呈放鬆狀態；調整好姿勢後，閉上眼睛，持續保持專注的呼吸

| 作者簡介 |

瑪莉安・蓋茲（Mariam Gates）

哈佛大學教育學碩士，從事兒童教育領域超過 20 年。她著名的「孩子力瑜伽課程」（Kid Power Yoga program）整合了她對瑜伽與教育的熱愛，協助孩子們找到自己內在的天賦。目前與瑜伽教師的丈夫羅爾夫・蓋茲，和兩個孩子住在加州聖塔克魯茲市，更多訊息請參閱：mariamgates.com

| 繪者簡介 |

莎拉・珍・杭德（Sarah Jane Hinder）

莎拉・珍・杭德對插畫的熱愛浮現得很早，當她還在托兒所時，就用蠟筆在自己童書的每一頁加上美麗的色彩。長大後，她教藝術與設計課程，直到多年後她成為一個專職插畫家。她在許多童書上開創丙烯顏料的作畫方式，包括「三隻小書」、「精靈和鞋匠」。她目前與先生和兩個孩子住在英格蘭的曼徹斯特。

| 譯者簡介 |

胡君梅

當代正念領域經典書《正念療癒力》、《自我療癒正念書》譯者，台灣「華人正念減壓中心」創辦人。台北教育大學心理與諮商研究所碩士，政治大學宗教研究所碩士，並完成美國麻州大學醫學院正念中心（CFM）認證師資的所有訓練課程，直接師事「正念減壓」創始人喬・卡巴金博士。目前以專業、成長、涵容、愛的精神，全心推廣正念減壓課程。

| 審訂者簡介 |

Phoebe Chang（張以昕）

兒童瑜伽老師 Phoebe 是一個喜歡書寫的瑜伽人，唸過中文研究所，也得過一些文學獎，並為報紙撰寫過專欄，當過副刊特約記者。後來在親身經驗瑜伽蛻變身心的過程後，取得美國瑜伽聯盟 Yoga Alliance RYT200 師資認證，完成 Yoga Zoo 90 小時兒童瑜伽師資訓練，並數度赴印度進修、旅行。她在教導兒童靜心與瑜伽的過程中，獲得深刻的喜悅與啟發，熱愛與孩子一起工作，當個快樂的猴子老師。

經歷：

* 美國瑜伽聯盟 Yoga Alliance RYT200 認證瑜伽老師
* Yoga Zoo 兒童瑜伽動物園 90 小時師資訓練結業
* 2013年起數度赴印度進行瑜伽能量呼吸法、靜坐與瑜伽研修
* 曾與國立台北教育大學推廣教育中心、台北市私立中山國民小學、桃園創新技術學院、長靴貓親子共學園、樂適能 joyfit 運動教室、台灣喜馬拉雅瑜伽靜心協會（AHYMSIN Taiwan）、參諦瑜伽 Shanti Yoga 等知名機構與學校單位合作開設親子與兒童瑜伽課程

【特別感謝】

圖解撰稿：張以昕老師

動作示範：葉臻蓁小朋友、張以昕老師

拍攝指導：吳金石攝影師

場地提供：台灣喜馬拉雅瑜伽靜心協會

瑜伽墊提供：魯克海斯有限公司 Fun Sport 趣運動、approach yoga

服裝提供：Ángeles 安荷設計師品牌童裝

BH0031A

孩子，我們一起靜心瑜伽吧：晚安篇
Good Night Yoga: A Pose-by-Pose Bedtime Story

作者｜瑪莉安‧蓋茲（Mariam Gates）
繪者｜莎拉‧珍‧杭德（Sarah Jane Hinder）
譯者｜胡君梅
審訂｜張以昕

責任編輯｜田哲榮
美術設計｜黃淑雅

發行人｜蘇拾平
總編輯｜蘇拾平
副總編輯｜于芝峰
主編｜田哲榮
業務｜郭其彬、王綬晨、邱紹溢
行銷｜陳雅雯、張瓊瑜、蔡瑋玲、余一霞
出版｜橡實文化 ACORN Publishing
地址｜10544臺北市松山區復興北路333號11樓之4
電話｜02-2718-2001 傳真｜02-2718-1258
網址｜www.acornbooks.com.tw
E-mail信箱｜acorn@andbooks.com.tw
發行｜大雁出版基地
地址｜10544臺北市松山區復興北路333號11樓之4
電話｜02-2718-2001 傳真｜02-2718-1258
讀者傳真服務｜02-2718-1258
讀者服務信箱｜andbooks@andbooks.com.tw
劃撥帳號｜19983379 戶名：大雁文化事業股份有限公司

印刷｜中原造像股份有限公司
初版一刷｜2016年11月
定價｜320元
ISBN｜978-986-5623-61-6 (精裝)

國家圖書館出版品預行編目（CIP）資料

孩子，我們一起靜心瑜伽吧：晚安篇/
  瑪莉安‧蓋茲（Mariam Gates）著；
  莎拉‧珍‧杭德（Sarah Jane Hinder）繪；胡君梅 譯.
  -- 初版. -- 臺北市：橡實文化出版：大雁文化發行, 2016.11
  譯自：Good night yoga
  ISBN 978-986-5623-61-6（精裝）

  1.瑜伽

411.15   105018203

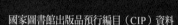